PEUPLES DU PASSÉ

Les Arabes
au temps de l'âge d'or

Mokhtar Moktefi
Illustrations de Véronique Ageorges

Collection dirigée par Daniel Sassier

NATHAN

Qui est Mohammed ?

En français, vous dites peut-être Mahomet. Nous devrions lui donner son vrai nom : Mohammed. Il est né à La Mecque, en Arabie, vers 570. Orphelin de père dès sa naissance, il perd sa mère six ans plus tard. Son oncle, Abou Talib, un commerçant aisé, élève le jeune garçon. Plus tard, il lui apprend le métier de marchand.

À 25 ans, Mohammed épouse Khadidja, une riche veuve de La Mecque. Pour elle, il conduit des caravanes, va acheter des marchandises en Syrie. Ils auront sept enfants, mais seule une fille, Fatima, survivra. Elle deviendra plus tard la femme d'Ali, le fils d'Abou Talib.

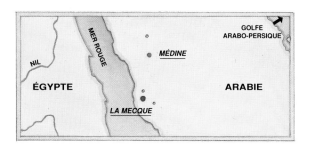

COMMENT DEVIENT-IL PROPHÈTE ?

Pour méditer, Mohammed se retire souvent dans une grotte du mont Hira, près de La Mecque. Une nuit, un personnage lui apparaît dans son sommeil. Il lui dit être l'ange Gabriel, venu lui communiquer un message de la part de Dieu. Troublé, Mohammed se réveille et rentre chez lui en se demandant s'il n'est pas "habité, possédé" par le diable. Il a alors quarante ans.

Mais Gabriel revient plusieurs fois et Mohammed, éveillé, l'écoute. Maintenant, il

est persuadé de recevoir la Parole de Dieu. Il commence à prêcher pour la transmettre à tous. Et pendant une vingtaine d'années, jusqu'à sa mort, la "Révélation" se poursuit. C'est ainsi que Mohammed devient le Messager de Dieu sur terre, son Envoyé, son Prophète.

Islam

Ce mot veut dire *soumission, abandon à la volonté d'Allah, le Dieu unique. Celui qui se soumet devient un muslim, un musulman.*

QU'EST-CE QUE L'HÉGIRE ?

À cette époque, la plupart des Mecquois sont païens ; ils adorent de nombreuses idoles. Mohammed les interpelle, leur répétant qu'il "n'y a d'autre divinité que Dieu". On se moque de lui, on le méprise… Pourtant, un premier noyau de fidèles se rassemble autour de lui : Khadidja, son épouse, Ali, son cousin, quelques proches, des jeunes, des gens simples. Cette petite communauté, qui prie en public, dérange les habitants de La Mecque. La vie de ses membres devient difficile. Quelques-uns se réfugient en Éthiopie.

En 622, Mohammed quitte à son tour sa ville et se réfugie à Médine. Cette émigration, c'est l'hégire (hijra en arabe). Elle marque le point de départ du calendrier musulman, qui compte douze mois lunaires de 29 à 30 jours, avec une année de 354 jours. Ainsi, le 13 juillet 1991 correspond au premier jour (jour de l'an musulman) de l'année 1413 de l'hégire.

Qu'est-ce que le Coran ?

C'est le livre sacré des musulmans. Son texte retranscrit la Parole de Dieu. Avec les hadiths, qui sont les paroles et les actions du Prophète, le Coran dicte et régit la conduite de vie des croyants.

MOHAMMED EST-IL REVENU À LA MECQUE ?

À Médine, Mohammed organise ses compagnons et ses alliés. Il souhaite que les relations entre les hommes soient fondées sur l'égalité, la justice, et non plus sur l'appartenance à tel ou tel clan, telle ou telle tribu. Après six années d'exil et de combat, il a rallié à sa foi presque toute l'Arabie. Il retourne à La Mecque en vainqueur. Les habitants de la ville adoptent la nouvelle religion. Après le "pèlerinage de l'Adieu", Mohammed repart pour Médine, où il meurt le 8 juin 632.

Pourquoi parle-t-on des cinq piliers de l'islam ?

"Il n'y a d'autre divinité que Dieu et Mohammed est son Envoyé."
Cette déclaration, ou profession de foi, c'est la chahada, le témoignage qui marque la conversion à la religion et l'adhésion à la communauté musulmane. Elle est récitée tous les soirs et dans tous les moments graves de l'existence. La *chahada* est le premier des cinq actes fondamentaux, des cinq obligations que l'on appelle les piliers de l'islam.

Un minaret

Le deuxième pilier, c'est la prière. On la fait cinq fois par jour : à l'aube, à midi, au milieu de l'après-midi, au coucher du soleil et le soir. Les cinq appels lancés par le muezzin du haut du minaret rythment la vie quotidienne des fi-

dèles. Le vendredi, à midi, les croyants se retrouvent à la mosquée pour prier ensemble. En islam, il n'y a pas de clergé – pas de curés, d'évêques, de pape ; le fidèle communique directement avec Dieu.

Les attitudes de la prière

Avant chaque prière, les petites ablutions sont recommandées. On se lave les mains, le visage, les pieds. Lors des grandes ablutions on se lave tout le corps. Elles sont nécessaires après un rapport sexuel, un accouchement…

Troisième pilier : l'obligation de verser l'aumône, ou *zakât*, une sorte d'impôt de solidarité destiné aux pauvres. Ce devoir de charité représente aussi, pour le croyant, une façon de participer aux dépenses de la collectivité.

LE RAMADAN EST-IL UNE FÊTE ?

Le quatrième pilier de l'islam est un mois de jeûne. Ramadan est le nom du neuvième mois du calendrier musulman, celui pendant lequel le Coran a été révélé à Mohammed. Chaque année, durant cette période, du lever au coucher du soleil, les adultes en bonne santé s'abstiennent de boire et de manger. Dans la soirée, le jeûne est rompu. Les hommes pieux se rendent à la mosquée. Mais les spectacles, les cafés et les pâtissiers attirent aussi la foule. Trois jours de fête marquent la fin du mois de Ramadan.

LES CROYANTS SONT-ILS OBLIGÉS DE PARTIR EN PÈLERINAGE ?

Le pèlerinage à la Mecque, en Arabie, est le cinquième pilier de l'islam. Tout musulman bien portant et possédant assez d'argent doit le faire au moins une fois dans sa vie. Quel que soit leur rang social, les pèlerins portent un même costume, constitué par une simple pièce de tissu blanc.

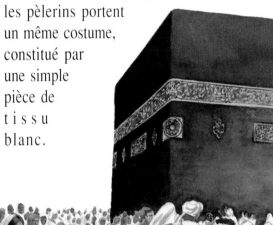

Mêmes vêtements, mêmes rites, mêmes prières renforcent le sentiment d'appartenir à une même communauté. Le pèlerinage doit aussi rappeler au croyant ses devoirs de justice, de tolérance et d'amour des autres.

Le calife est-il un roi comme les autres ?

À sa mort, le prophète Mohammed n'a pas désigné de successeur. Ses compagnons décident donc d'élire parmi eux un *khalifa*, un calife. Il n'est pas prophète, n'en a pas le pouvoir. Sa fonction consiste à diriger la communauté en s'appuyant sur le Coran et en s'inspirant de la vie de Mohammed.

Les quatre premiers califes restent des hommes modestes, d'un abord facile. Après eux, les choses changent. Le califat devient héréditaire, il se transmet de père en fils.

QUI ORGANISE LES RÉCEPTIONS ?

Bientôt, la simplicité du début est remplacée par une luxueuse vie de palais. Les cérémonies qui marquent les nominations des grands responsables de l'État et les réceptions d'ambassadeurs étrangers se déroulent selon des règles précises. Le calife les préside, assis jambes croisées sur le sarîr, un trône en forme de lit garni de coussins, de soieries, et surmonté d'un baldaquin.

Le chambellan, chef du protocole, annonce et place chaque membre de la cour suivant un ordre bien déterminé : le prince héritier d'abord, puis les fils du calife. Viennent ensuite le vizir et le commandant en chef des armées, qui embrassent le sol devant le monarque et font le baisemain avant de se mettre l'un à sa droite et l'autre à sa gauche. Dans un silence imposant, les dignitaires entrent à tour de rôle. Ils saluent le souverain en baisant le bord du tapis. Officiers et soldats se répartissent derrière des cordes tendues afin de laisser libre le centre de la salle. Alors seulement, le chambellan introduit le personnage auquel le calife accorde cette audience.

Émir ou sultan ?

L'*émir est un commandant ou un gouverneur. Ce titre a donné, en français, celui d'amiral. Le sultan dispose d'un pouvoir supérieur. Tous deux sont d'abord des chefs militaires.*

LA CALIFE PART-IL EN GUERRE ?

Chef des armées, le calife défend la religion contre ceux qui la déforment et l'attaquent, les "infidèles". En campagne, il s'occupe toujours des affaires de l'État. Les principaux membres de sa cour le suivent. Des fêtes célèbrent son retour. Des réjouissances populaires se déroulent dans les rues illuminées de Bagdad.

DOIT-IL ÊTRE UN SAINT HOMME?

Appelé aussi *Emir al Mouminine*, c'est-à-dire commandeur des croyants, le calife se doit de diriger chaque année le pèlerinage à La Mecque. À cette occasion, il manifeste sa générosité en distribuant des aumônes. Il fait également construire des abris-relais, des mosquées, des fontaines et des puits sur les routes suivies par les pèlerins.

Mais ce long déplacement, comme les campagnes militaires, est fatigant. Certains califes confient alors à des proches le soin de diriger le pèlerinage.

L'armée ne compte-t-elle que des Arabes ?

**"Pas de contrainte en religion. La voie droite se distingue de l'erreur",
dit le Coran. Et le prophète Mohammed, au retour d'une opération militaire, précise : "Nous voici revenus du petit *jihâd* pour nous engager dans le grand *jihâd*, l'effort de l'âme."**

Le terme *jihâd* est souvent traduit en français par l'expression "guerre sainte". En fait, en arabe, il signifie d'abord l'effort que chacun doit faire pour lutter contre son égoïsme, son orgueil, ses défauts, pour devenir meilleur.

TOUS LES MUSULMANS SONT-ILS ARABES ?

Les cavaliers et les chameliers partis d'Arabie pour propager la nouvelle religion disposent de deux armes essentielles : l'enthousiasme et la rapidité de leurs actions. Ils conquièrent un immense empire. Bientôt, Syriens, Maghrébins, Iraniens, Afghans, etc., rejoignent l'armée. Dans certaines régions, des hommes qui se sont convertis à l'islam, qui sont donc des musulmans non arabes, forment la majorité des troupes. Des non-musulmans se font aussi soldats, pour éviter de payer les impôts ou pour profiter du butin de guerre.

Aux combattants des premiers temps se substituent des professionnels. Les Turcs ont appris aux cavaliers à tirer à l'arc tout en galopant, ce qui leur donne une nette supériorité.

Y A-T-IL DES ARMES SECRÈTES ?

Peu à peu, un équipement perfectionné se développe pour assiéger les villes : tours, abris mobiles, balistes… La marine et l'armée de terre emploient des *naffatoun*, ou lanceurs de naphte. Ce pétrole brut est projeté à l'aide d'un long tuyau, ancêtre du lance-flammes. Les soldats utilisent aussi des javelots et des flèches dont la pointe porte un pot de naphte additionné par-

fois de grenaille de fer. Dans les combats rapprochés, ils aveuglent l'ennemi à l'aide de puissantes seringues chargées de vitriol et d'acides.

Les ribâts

es fortins, dotés de tours de guet, abritent des croyants qui se sont portés volontaires pour défendre le territoire musulman. Ils jalonnent les frontières et les côtes exposées aux attaques étrangères. Rabat, l'actuelle capitale du Maroc, est un ancien ribât.

Les recherches et l'expérimentation de ces armes chimiques sont ultra-secrètes. Aux 11e et 12e siècles, les croisés européens qui viennent en Orient sont effrayés par ces engins explosifs et incendiaires. Ils les comparent à la foudre et à un dragon volant.

L'une des ruses de guerre les plus efficaces consiste à habiller les cavaliers et leurs montures d'un tissu en feutre traité pour qu'il ne brûle pas. Les cavaliers portent un casque à godets avec du naphte auquel on met le feu avant

Manuels de guerre

es techniciens et les cadres de l'armée disposent de livres. Ils y apprennent, par exemple, comment conduire le siège d'une ville. Ces traités exposent aussi le fonctionnement des machines de guerre.

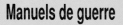

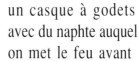

de lancer de nuit, dans le camp ennemi, ces monstres en flammes. Surpris, terrorisés, bêtes et hommes fuient dans tous les sens.

La mosquée est-elle une église ?

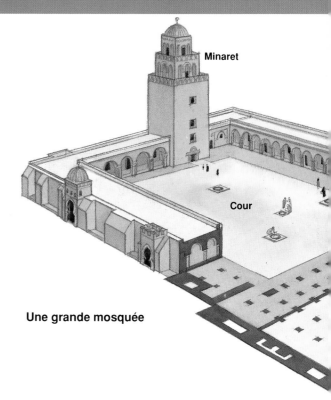

Minaret

Cour

Une grande mosquée

"Ô vous qui êtes croyant, quand on vous appelle à la prière le vendredi, accourez à l'invocation de Dieu et interrompez tout négoce. Ce sera un bien pour vous, si vous saviez", recommande le Coran.
Ce n'est pas une cloche, mais le chant du muezzin qui, du haut du minaret, invite les musulmans à la prière.

Avec cette haute tour qui la caractérise, la mosquée comprend une cour avec des fontaines pour les ablutions, et une salle de prières. Cette dernière, à la différence des églises, ne comporte ni autel, ni statues, ni tableaux, ni chaises. Hormis les lampes, les lustres suspendus au plafond et les nattes, les tapis qui couvrent le sol, elle ne contient qu'un meuble : le *minbar*, la chaire d'où l'on prêche. Creusée au centre

du mur du fond, une petite niche, le *mihrab*, indique la direction de La Mecque.

C'est face à cette niche, souvent décorée, que se place l'*imam*, ou guide, pour diriger la

prière. Ce rôle peut être assuré, en principe, par tout musulman adulte. Derrière lui, les fidèles se regroupent en rangs serrés. Ils prononcent après lui les formules consacrées. Ils effectuent en même temps que lui les inclinaisons du corps et les prosternations.

D'où vient le mot mosquée ?

I l vient de l'espagnol mezquita, *qui correspond à l'arabe* masdjid, *désignant tout lieu destiné à la prière. La grande mosquée où l'on prononce le sermon du vendredi s'appelle* djami.

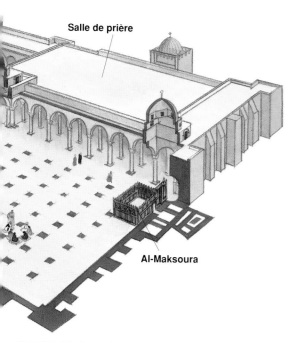

Salle de prière

Al-Maksoura

Al-Maksoura

Cette enceinte spéciale est réservée au souverain dans la salle de prière de la grande mosquée de la ville. Elle est souvent entourée de grilles ajourées en bois.

LA MOSQUÉE N'EST-ELLE QU'UN LIEU DE CULTE ?

Indispensable à la vie religieuse, la mosquée l'est aussi à la vie culturelle. C'est là qu'entre deux prières, dans un angle de la salle, des professeurs réunissent autour d'eux des étudiants et des auditeurs. Même après la création de la

madrasa, sorte de collège-université indépendant de la mosquée, les savants de passage dans la ville ont gardé le droit d'y donner des cours. De vieilles universités attachées à des mosquées sont très célèbres : al-Azhar au Caire, al-Zeïtouna à Tunis, al-Qarawiyîn à Fès...

PRIE-T-ON OBLIGATOIREMENT À LA MOSQUÉE ?

Le musulman est tenu de se rendre à la mosquée pour la prière solennelle du vendredi à midi. Le reste du temps, il peut prier en tout lieu. Il s'oriente vers la Mecque et délimite un espace sur le sol, avec un tapis ou une natte ; ce lieu devient sacré et lui permet de s'isoler du monde extérieur. Le croyant ne doit plus penser au présent et à ce qui se passe autour de lui : il communique avec Dieu.

Les musulmans fêtent-ils Noël ?

Pour le peuple, toutes les occasions de réjouissance et de divertissement sont bonnes. En outre, jusqu'à l'arrivée des croisés, au 12ᵉ siècle, la tolérance islamique est grande. Les musulmans n'hésitent donc pas à se joindre aux chrétiens à l'occasion de leurs fêtes. Ainsi, pour Noël, l'anniversaire de la naissance du Christ, toute la population de Bagdad allume des feux durant la nuit.

En Égypte, pour l'Épiphanie, la fête des Rois, une foule immense se retrouve le long du Nil. À la lueur des torches, on mange, on boit et on danse jusqu'au lever du jour.

À Jérusalem, le dimanche des Rameaux, le gouverneur musulman de la ville accompagne la procession chrétienne jusqu'à l'église de la Résurrection. Le jour de Pâques, à Bagdad, chrétiens et musulmans défilent ensemble avant de se rendre au monastère arménien de Samalu ; là, ils dansent éperdument.

De même, tout le monde fête le Nouvel An iranien, au printemps. À cette occasion, comme le veut la coutume, hommes et femmes s'aspergent d'eau parfumée, se lancent des oranges, des citrons doux et des bouquets de fleurs. Par-

fois, la fête prend une allure de carnaval, avec des déguisements, des danses, des chants… Les enfants reçoivent des jouets en terre cuite ou en faïence vernissée ; ce sont souvent des chevaux, des taureaux, des girafes.

QUELLES SONT LES GRANDES FÊTES MUSULMANES ?

Aïd al Fitr et *Aïd al Adha* : tels sont les noms des deux grandes fêtes que les musulmans célèbrent solennellement. Elles durent trois jours chacune.

La première marque la fin du jeûne du mois de ramadan. Dès la veille au soir, les mosquées et les rues de la ville sont illuminées, des feux d'artifice sont tirés. Les femmes mettent la dernière main aux gâteaux et aux confiseries. Le lendemain, chacun revêt ses plus beaux habits. Après la prière du matin à la mosquée, les gens

Qui est Abraham ?

C'est un prophète biblique que le Coran et les musulmans appellent Ibrâhim al-Khalîl, "l'ami de Dieu". Par son fils Ismaël, il est l'ancêtre des Arabes et le bâtisseur de la Kaaba de La Mecque. De son autre fils, Isaac, descend le peuple juif. Pour éprouver sa foi, Dieu commanda à Abraham d'égorger l'un des enfants. Le patriarche allait obéir, lorsqu'un ange vint remplacer son fils par un mouton.

Aïd al Adha est la fête du sacrifice. Elle évoque le souvenir de l'épreuve imposée par Dieu à Abraham et correspond au dernier jour du pèlerinage de La Mecque. Les familles aisées égorgent un mouton et en distribuent aux pauvres au moins la moitié. Outre la viande, on mange aussi beaucoup de gâteaux, de douceurs. Les rues et les places regorgent de monde, d'animation, de spectacles.

Al Mawlid, ou Mouloud, c'est-à-dire l'anniversaire du prophète Mohammed, devient une fête populaire à partir du 12e siècle.

s'embrassent, se présentent leurs vœux, se rendent visite. Les enfants se gavent de sucreries.

Trois jours durant, la rue est en fête, avec les acrobates, les funambules, les prestidigitateurs, les montreurs d'ours, les marionnettistes, les charmeurs de serpents, les conteurs, les chanteurs, les musiciens…

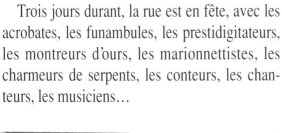

QUELLES AUTRES DISTRACTIONS ATTIRENT LA FOULE ?

Le calife et le sport

Selon un historien arabe, Haroun al Rachid "fut le premier calife à établir le jeu de polo, le tir à l'arc..., la paume et les raquettes. Il récompensa ceux qui se distinguaient dans ces différents exercices et le peuple s'y adonna à son exemple."

Les courses de chevaux ont beaucoup de succès. Les matchs de lutte également, qui se déroulent dans d'immenses salles couvertes dont les gradins peuvent accueillir des milliers de spectateurs.

Dans l'Occident musulman, c'est-à-dire le Maghreb et l'Espagne, des combats d'animaux se déroulent dans une arène bordée d'une palissade. Un lion est opposé à un taureau. Plus fréquemment, des chiens dressés harcèlent le taureau en le mordillant, puis arrivent des cavaliers qui l'excitent avec de courtes piques avant

D'autres jeux

Dans toutes les couches de la population, les gens aiment jouer aux échecs. Souvent, sur les marchés, des attroupements se forment autour des joueurs de dés. La loi musulmane interdit pourtant les jeux de hasard.

de le mettre à mort. Ce spectacle est à l'origine de l'actuelle corrida.

Les villes et les villages situés au bord de l'eau organisent fréquemment des courses de natation. Le long des berges, les spectateurs, parmi lesquels de nombreux enfants, encouragent les concurrents. Les compétitions de tir à l'arc, avec cibles mobiles ou fixes, passionnent aussi le public. Il en est de même pour l'escrime, le lancer de poids, la course à pied.

L'esclavage est-il autorisé ?

**"N'oubliez pas que les esclaves sont vos frères (…). Dieu vous a donné droit de propriété sur eux ; il aurait pu leur donner droit de propriété sur vous",
rappelle le prophète Mohammed.**

d'ailleurs ce terme qui a donné le mot esclave. Mais ce trafic touche aussi des Turcs d'Asie centrale et des Noirs d'Afrique.

Un nombre considérable d'enfants sont achetés sur les marchés de Venise, de Kiev, d'Aix-la-Chapelle ou du Soudan.

Lorsqu'apparaît l'islam, au 7e siècle après Jésus-Christ, l'esclavage a en effet une longue histoire. En Asie, en Europe, autour de la Méditerranée, les êtres asservis sont considérés depuis l'Antiquité comme des objets ou des animaux. Souvent, leur propriétaire dispose même sur eux du droit de vie et de mort.

D'OÙ VIENNENT LES ESCLAVES ?

Dans le monde musulman, ce véritable commerce concerne surtout des individus considérés comme sans religion, comme païens. Chrétiens et juifs y participent en allant chercher en Europe orientale de nombreux Slaves. C'est

Des écoles spécialisées

De jeunes et jolies esclaves sont placées par leur propriétaire dans des écoles où elles apprennent la musique, le chant, la danse, la poésie. Elles joueront après un rôle important dans les maisons et les palais des grands.

CERTAINS ESCLAVES PEUVENT-ILS ÉCHAPPER À LEUR SORT ?

Il y a beaucoup d'esclaves dans les villes musulmanes, mais aussi des affranchis, c'est-à-dire des femmes et des hommes redevenus libres. La religion musulmane considère que c'est faire acte de piété que d'affranchir un esclave qui s'est converti à l'islam.

Les esclaves hommes effectuent toutes sortes de travaux dans le bâtiment, le commerce, l'artisanat. Certains dirigent des entreprises

pour le compte de leur maître, traitant d'égal à égal avec les hommes libres.

Dans l'armée, ils constituent l'essentiel de la garde califale. Ils peuvent devenir généraux, amiraux, hauts dignitaires de la cour, détenant alors la réalité du pouvoir.

Le palais abrite des milliers d'esclaves, d'affranchis et de concubines dont les enfants, à certaines époques, se retrouvent à la tête du monde musulman en tant que califes.

LA SOCIÉTÉ MUSULMANE ACCUEILLE-T-ELLE TOUS LES PEUPLES ?

Souvent, les jeunes femmes esclaves deviennent les concubines du maître. Leurs enfants naissent libres et elles-mêmes sont alors affranchies. Le nombre considérable de ces unions permet un brassage de peuples extraordinaire. Et cette réalité crée une société islamique où le racisme n'existe pas. C'est ainsi que des Noirs règnent sur une population blanche sans que personne ne pense à leur désobéir à cause de la couleur de leur peau.

Jeunes filles et jeunes gens se marient-ils librement ?

C'est le grand jour. La fête bat son plein depuis le début de l'après-midi. L'orchestre de femmes et les danses des invités entretiennent une ambiance gaie, joyeuse. Des serveuses distribuent des boissons, des gâteaux, des confiseries.

Assise sur un siège, la mariée trône au milieu de son trousseau, de ses cadeaux. Dans quelques instants, un cortège accompagné de musiciens viendra la chercher pour la conduire dans la maison de son époux, qu'elle n'a encore jamais rencontré. Là, la fête se poursuivra.

COMMENT PRÉPARE-T-ON UN MARIAGE ?

Comme le veut la tradition musulmane, ce sont les parents qui, après avoir consulté la jeune fille, ont conclu le mariage. Les premiers contacts ont eu lieu au *hammam*, le bain public.

C'est là que la mère du futur mari en parla avec celle de la jeune fille. Les hommes prirent ensuite le relais. Lors de la signature du contrat, une cérémonie s'est déroulée en présence de deux témoins. On y a fixé la dot qui doit être versée à l'épouse par le jeune homme. Il s'agit d'une somme symbolique, mais qui devient parfois excessive. Son montant est inscrit dans le contrat de mariage rédigé par le *cadi*, le juge, qui s'assure de l'accord mutuel des fiancés. Un repas a conclu ce moment important pour l'avenir des deux jeunes gens.

Hier, la mariée s'est rendue avec les femmes de sa famille et ses amies au *hammam*. Elle a été baignée, lavée, parfumée.

Cet après-midi, son époux, accompagné de ses amis, fait de même.

QUELLE EST LA CONDITION DES FEMMES ?

Dans l'Arabie païenne, avant l'islam, la naissance d'une fille était souvent considérée comme une catastrophe ; une coutume, que l'on retrouve chez plusieurs peuples de l'Antiquité,

Des femmes copistes

Pour gagner leur vie, des femmes lettrées recopient le Coran ou des livres chez un libraire. À l'époque du califat, dans le faubourg oriental de la ville de Cordoue, en Espagne, il n'y a pas moins de 170 femmes copistes.

permettait de s'en débarrasser. Le Coran mit fin à cette pratique et à tout sacrifice d'enfant.

"Ne tuez pas vos enfants par crainte de la pauvreté. Nous leur accorderons leur subsistance avec la vôtre. Leur meurtre serait une énorme faute", déclare-t-il.

De même, l'islam améliore le sort des femmes en leur reconnaissant le droit d'hériter, dont elles ne disposaient pas jusqu'alors.

À cette époque, dans toutes les sociétés non chrétiennes du Proche-Orient, la polygamie est un usage courant. Autrement dit, un homme peut avoir autant d'épouses qu'il le veut. Le Coran limite ce droit à quatre femmes et exige qu'elles soient traitées avec une parfaite égalité sur tous les plans. Il établit des garanties précises en faveur de l'épouse répudiée, divorcée. Il recommande aussi que la tenue féminine soit décente. À diverses époques, certains ont interprété ce texte comme une obligation pour les femmes de se voiler.

Bijoux à louer

Même les femmes les moins fortunées peuvent satisfaire leur envie d'être richement parées. Il leur suffit de s'adresser à des boutiques spécialisées dans la location de bijoux et de joyaux.

femmes reçoivent une instruction et une éducation de qualité. Nombre d'entre elles deviennent médecins, juristes, enseignantes, poétesses, bibliothécaires ou secrétaires.

COMMENT SE PASSE LEUR VIE ?

Souvent, les femmes d'ouvrier et d'artisan travaillent à domicile : elles brodent, filent, tissent. Elles sortent seules. Dans les milieux aisés, la femme mariée passe beaucoup de temps à sa toilette. L'après-midi, elle reçoit des amies, des parentes, des vendeuses, aussi, qui vont de maison en maison proposer des tissus, des bijoux, des colifichets. Ses rares sorties l'entraînent, le vendredi, au cimetière où elle se rend sur la tombe de parents, et une ou deux fois par mois au *hammam*.

Chez les lettrés, les hauts dignitaires, les

LES GARÇONS SONT-ILS CIRCONCIS ?

Le Coran ne prescrit pas la circoncision, cette petite opération qui consiste à ôter tout ou partie du prépuce. Cette coutume existait en Arabie avant la naissance de l'islam. Les musulmans l'ont conservée, car une tradition en fait remonter la pratique à l'époque d'Abraham.

C'est vers l'âge de sept ans que le garçon est circoncis. L'événement est très important ; seule la fête du mariage dépasse les réjouissances auxquelles il donne lieu. L'enfant porte de beaux vêtements neufs et brodés. Il reçoit de nombreux cadeaux et des pièces de monnaie.

Les caravaniers sont-ils toujours des nomades?

Outre le Sahara et le désert d'Arabie, le monde musulman comprend d'autres immenses étendues de sable et de rocailles, situées en Asie. Aussi, chaque long voyage sur terre comporte-t-il une traversée de désert. Nul ne peut envisager de l'effectuer seul sans prendre le risque de mourir de soif et d'épuisement. Il faut donc se déplacer en groupe, en caravane.

Ces hommes du désert sont les meilleurs guides et conducteurs qui soient. Dans les steppes arides, immensités plates, ils parviennent à s'orienter sans aucun instrument. À leur connaissance des bêtes, ils ajoutent celle des pierres, du vent, des plantes. La nuit, ils lisent dans les étoiles leur direction, mais aussi l'heure et d'autres informations. Pour les voyageurs, les négociants et leurs marchandises, les Bédouins sont des caravaniers indispensables.

COMBIEN Y A-T-IL DE CHAMEAUX DANS UNE CARAVANE?

Quelques dizaines, quelques centaines, exceptionnellement cinq à six mille chameaux! La caravane est alors un véritable monde en marche. Ses mouvements d'ensemble, tels que les départs, les arrêts, l'installation des tentes et

Dans ce milieu difficile, le dromadaire, ce chameau à une bosse surnommé le "vaisseau du désert", est un animal idéal. Les Bédouins, ou Arabes nomades, en élèvent des troupeaux qui peuvent atteindre plusieurs milliers de têtes.

Le passage des rivières

*P**arfois, les caravanes passent les rivières à gué, sur des radeaux d'outres gonflées. Sur les fleuves navigables, elles empruntent des ponts de bateaux. Naturellement, il existe aussi de nombreux ponts en pierre.***

sont négociés avec les chefs des tribus nomades dont elles relèvent. Ils délivrent alors un sauf-conduit au convoi ou le font accompagner par des membres de la tribu.

leur démontage, sont annoncés par des roulements de tambour. Le voyage dure plusieurs mois. Souvent, la cargaison des produits transportés équivaut à celle d'un gros bateau, car la charge de chaque chameau dépasse 100 kg.

Les personnages importants, les riches commerçants et les femmes voyagent dans des palanquins portés par des chameaux.

LES VOYAGES SONT-ILS SÛRS ?

Cela dépend des époques, des régions. Les révoltes locales et les périodes de guerre perturbent plus ou moins le commerce à grande distance. Ainsi, au 9e siècle, des troubles graves en Chine conduisent à interrompre la route terrestre de la soie. En revanche, les croisades, à partir du 11e siècle, n'empêchent guère les marchands d'aller et de venir entre les territoires francs et musulmans.

Contre les attaques de brigands, de bêtes sauvages, les caravanes disposent d'escorteurs armés. Les passages à travers certaines régions

Y a-t-il des routes ?

*D**ans les steppes, les déserts, voitures et chariots sont mal adaptés. Les chameaux, eux, passent partout. Les routes ne sont donc pas nécessaires. Cependant, des chemins sont taillés dans les montagnes.***

Les gens voyagent-ils très loin ?

"Allez donc au loin chercher votre subsistance : à défaut de grande fortune, vous y ferez provision d'esprit", recommande vers 903 l'auteur arabe du *Livre des pays*.

À cette époque, le *dar al Islam*, c'est-à-dire le territoire musulman, s'étend des frontières de la Chine à l'Espagne, des bords de la mer Caspienne en Russie à l'Afrique centrale. Gens, produits et idées y circulent en permanence. Chaque année, des dizaines de milliers de pèlerins se rendent à La Mecque. Des musulmans parcourent sans cesse les routes, les fleuves et les mers du monde connu, à l'exception de l'Occident chrétien.

QUE VENDENT ET QU'ACHÈTENT LES MARCHANDS ?

Il s'agit souvent de produits de luxe : soie, porcelaine, perles, pierres précieuses, corail, ivoire, fourrures, parfums… Mais le bois, le fer, l'étain, le mercure, l'or et l'argent s'échangent aussi. Pour payer leurs achats, les marchands emportent des sacs de pièces d'or et d'argent.

Certains utilisent déjà des moyens modernes de paiement, comme la lettre de change et le *chakk*, le chèque.

SE DÉPLACE-T-ON BEAUCOUP EN BATEAU ?

Sans les bateaux, comment les marchands musulmans parviendraient-ils jusqu'en Corée ? Ils fréquentent aussi les ports du Vietnam et de Ceylan. Certains s'installent en Chine, à Canton. De lourdes jonques chinoises vont de leur côté dans les ports du golfe arabo-persique.

Les navigateurs arabes savent utiliser les vents de la mousson : à leur retour d'Inde, ils cinglent directement vers l'Arabie ou l'Afrique

Un caravansérail

orientale. La navigation est aussi active en Méditerranée.

Des ports, des balises et des phares jalonnent les côtes. Cependant, des pirates indiens, montés sur de rapides bateaux à rames, s'attaquent aux lourds voiliers. En Méditerranée, ceux-ci redoutent les pirates chrétiens, précurseurs des barbaresques.

Certains navires, dotés d'imposantes voilures, transportent plus de mille passagers. Ils comptent alors jusqu'à une centaine de cabines et des magasins tels qu'épicerie, buvette, blanchisserie et salon de coiffure.

Sur les grands fleuves navigables, passagers et marchandises empruntent aussi des bateaux.

LES CARAVANSÉRAILS SONT-ILS NOMBREUX ?

Partout, les caravansérails accueillent voyageurs et marchandises. Il s'agit parfois d'une imposante construction disposant d'une seule porte d'entrée. Celle-ci donne sur une cour et son bassin-abreuvoir. Bureaux, postes de garde, écuries et magasins se partagent le rez-de-chaussée. Les chambres-dortoirs se situent à l'étage. Un *hammam* côtoie la mosquée. Ces bâtiments servent au commerce de gros. C'est là que les détaillants, les boutiquiers viennent acheter leurs marchandises.

Les informations circulent-elles bien ?

**Al barîd veut dire la poste.
Cette administration remarquable
couvre l'ensemble des territoires
musulmans, acheminant le courrier
d'un bout à l'autre de l'empire.
Des cavaliers et des méharistes
parcourent nuit et jour
les innombrables itinéraires postaux.**

Ceux-ci empruntent souvent des reliefs accidentés pour raccourcir le trajet. Ce besoin de gagner du temps, de transmettre vite les nouvelles, a même conduit au développement des liaisons aériennes, assurées par des pigeons voyageurs et des signaux optiques.

Les pigeons sont lâchés depuis les tours ou les terrasses des relais de .la poste. Et ce réseau particulier est très dense ; il dessert des localités que n'atteint pas le *barîd*.

Les signaux optiques, eux, sont strictement réservés à l'armée. Ils servent à donner l'alarme en cas d'attaque le long des côtes et des frontières. Répercuté du haut des tours des *ribât*, des terrasses des relais de poste et des points de guet élevés, un signal codé de feu ou de fumée parcourt, en une nuit ou un jour, des milliers de kilomètres.

COMMENT FONCTIONNE CETTE POSTE AÉRIENNE ?

Des milliers de pigeons, portant au bec ou à la patte les insignes du souverain, volent d'un relais à l'autre. Comme pour nos lettres par avion, celles qu'ils transportent doivent être légères. Leur papier et leur format sont spéciaux.

Comment poste-t-on une lettre ?

Pour expédier son courrier, il faut le présenter au bureau de poste. Un employé inscrit l'envoi dans un registre. Le paiement se fait à l'arrivée, par le destinataire.

L'agent de la poste

C'est au foulard de soie aux couleurs califales flottant dans son dos que l'on reconnaît le cavalier ou le méhariste appartenant au corps des agents de la poste. Il porte une sacoche en cuir renfermant le courrier.

QUELS RELAIS JALONNENT LE MONDE MUSULMAN ?

Neuf cent trente relais de la poste s'échelonnent le long des grandes voies de communication ! Ils sont distants de vingt à quarante kilomètres. Certains sont installés dans les caravansérails. La plupart sont des bâtiments spéciaux, qui abritent des chevaux et les quelques hommes de garde. Le relais type comprend, autour d'une cour à ciel ouvert, une pièce d'habitation, une mosquée, une écurie, un magasin, une citerne, des latrines. Contre ce bâtiment s'élève une tour destinée à l'envoi de signaux optiques.

LE SECRET DE LA CORRESPONDANCE EST-IL PRÉSERVÉ ?

Chez les musulmans, *al amâna* est un dépôt sacré, qui doit être transmis tel quel à son destinataire. L'acheminement d'une lettre est donc une mission de confiance. Comme l'administration, les particuliers ferment leurs lettres avec de la cire en y apposant leur cachet. Les graveurs consignent dans un registre l'empreinte et le nom des sceaux qu'ils fabriquent.

Les palais ressemblent-ils à ceux des mille et une nuits ?

"Le vizir avait ordonné de masser, dans tous les espaces, corridors et passages du palais, des hommes avec un armement complet, de couvrir tous les bâtiments de tapis et de les décorer complètement..."

Ce texte nous prépare à vivre la réception faite par le calife de Bagdad aux ambassadeurs de Byzance en 917.

SERIONS-NOUS ÉMERVEILLÉS EN Y ENTRANT ?

Les visiteurs pénètrent dans le palais, couvert de rideaux de soie et de tapis. Ils traversent la Grande Écurie entre deux haies de 500 chevaux chacune : les uns portent des selles d'or et d'argent, les autres des housses en soie. Les voici dans l'enclos des bêtes sauvages, puis dans un palais où se trouvent quatre éléphants, deux girafes. Ils passent maintenant entre deux rangées de cinquante lions chacune ; chaque bête est tenue en laisse par un dresseur. Dans le nouveau palais situé entre les jardins, ils découvrent un lac de mercure plus brillant que l'argent poli ; quatre bateaux dorés y naviguent...

Enfin, de palais en palais, les Byzantins pénètrent dans un bâtiment plus somptueux que tous les autres, où les attend le calife. Au cours de l'audience, sur son ordre, un ingénieux mécanisme fait sortir de terre un immense arbre en or et argent ; sur ses branches, des oiseaux en métal précieux chantent, tandis que jaillissent des jets d'eau au parfum de rose et de musc.

QUE FAIT-ON AU PALAIS ?

Imposante, fascinante et féérique, la résidence du souverain est une immense cité qu'enveloppe la ville. À côté des appartements privés, des salles de réception et des jardins, elle abrite de nombreux bureaux qui accueillent l'administration centrale du gouvernement.

Une multitude de *kouttab*, ou secrétaires, dont quelques femmes, s'active. Il faut soigner le style des correspondances, confectionner des dossiers. Ces bureaucrates tiennent à se distinguer du "commun" par leur culture, leur élégance vestimentaire, leur coupe de cheveux en forme de V sur le front…

LA VIE AU PALAIS EST-ELLE GAIE ?

D'abord, elle se déroule dans un luxe inouï. Femmes et hommes rivalisent d'élégance : vêtements de brocart enrichis de pierres précieuses, bijoux… Les fêtes et les soirées se déroulent à l'intérieur en hiver, et le reste du temps dans les jardins magnifiquement éclairés. Elles sont animées par les meilleurs musiciens, chanteurs et danseuses. Les senteurs des brûle-parfums et des fleurs contribuent à l'enchantement.

De prestigieuses fêtes nautiques ont lieu aussi sur le fleuve, à Bagdad. Des barques magnifiquement décorées, chargées de musiciens et de chanteuses, voguent sur le Tigre. Certaines ont la forme d'un lion, d'un cheval, d'un éléphant, d'un aigle… D'autres adoptent celle d'un dauphin ou bien encore d'un serpent.

Les nadim

A rtistes, lettrés, savants : les nadim sont les compagnons privilégiés du calife. Ils doivent distraire et intéresser le souverain, qu'il s'agisse d'une partie d'échecs ou d'un débat littéraire.

Les villes sont-elles gigantesques ?

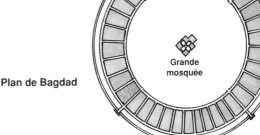

Plan de Bagdad

Grande mosquée

Alors qu'en Europe quelques rares agglomérations comptent 10 000 habitants, de très nombreuses vraies villes parsèment le monde musulman. Au 10ᵉ siècle, une quinzaine d'*amsâr*, ou villes-capitales, abritent des centaines de milliers d'habitants.

LEUR CONSTRUCTION SUIT-ELLE UN PLAN PRÉCIS ?

Le calife fondateur de Bagdad trace lui-même le plan circulaire de la ville future. 100 000 personnes travaillent sur le chantier et l'achèvent, quatre ans plus tard, en 762.

Toutes les villes musulmanes accueillent en leur centre une mosquée. De là partent des avenues rectilignes sur lesquelles se trouvent les marchés. Les capitales abritent les palais des souverains, et les chef-lieux de province, ceux des gouverneurs. Souvent, une citadelle et des remparts protègent l'agglomération. Des caravansérails, des *hammams* et des hôpitaux complètent l'ensemble.

Certaines surgissent comme des champignons là où il n'y avait rien, d'autres se développent à partir d'un petit noyau ancien. Plusieurs atteignent des dimensions gigantesques. Samarra s'étale sur 35 kilomètres. L'une de ses grandes mosquées mesure 440 mètres de long et son minaret à hélice s'élève à 50 mètres ! Les quatre boucles de la piste de l'hippodrome se déroulent sur 11 kilomètres.

De loin, les immeubles de dix étages du Caire ressemblent à des montagnes. Cordoue abrite plus de 500 000 personnes et Bagdad, environ deux millions !

Déménager les portes

Dans les immeubles, le confort est variable. Le bois étant rare, certains locataires indélicats déménagent en emportant portes et toitures.

Beaucoup de constructions sont en briques crues séchées recouvertes d'enduit de chaux ou de plâtre ; ce dernier peut-être sculpté et peint. La décoration comprend des carreaux de céramique colorées. Mais les maçons utilisent aussi la pierre lorsqu'il y en a. Pour les palais et les riches demeures, on importe parfois de loin du marbre, du granit, de l'onyx et des bois rares.

LES MAISONS SONT-ELLES CONFORTABLES ?

En général, elles sont construites autour d'une cour sur laquelle s'ouvrent portes et fenêtres. Un escalier intérieur conduit à la terrasse, fraîche la nuit. Chez les plus riches, le patio ac-

cueille un bassin et des jets d'eau. Une pièce souterraine permet, en été, d'échapper aux

grosses chaleurs. Ici, somptueux tapis, divans, sofas aux coussins de soie et tentures meublent les pièces, où l'on trouve aussi coffres et coffrets en bois et en métal. Dans les murs s'ouvrent des niches plus ou moins décorées.

Le soir, l'éclairage est assuré par des lampes à huile en terre cuite, des chandelles, des candélabres, des lampes en verre suspendues à des chaînes. Souvent, un jardin attenant à la maison, bordé d'un mur, apporte un peu de fraîcheur. On y cultive différents arbres – palmiers, orangers... – et des fleurs : roses, jasmin, œillets, lilas, etc.

Les maisons importantes disposent d'un *hammam* particulier. Des conduites en terre cuite ou en plomb distribuent l'eau dans les principaux quartiers de la ville. Au Caire, l'eau du Nil est transportée dans des outres en peaux de chèvre ou de vache, à dos d'âne, de chameau ou d'homme.

LE CALME RÈGNE-T-IL DANS LES VILLES?

Avec ses 100 km², Bagdad est alors la plus grande ville du monde. Damas, Le Caire, Kairouan, Cordoue et d'autres cités attirent

Marchands d'eau

Dans les rues du Caire, des hommes portent à leur cou des outres en peau de chèvre munies d'un tuyau de toile: ils vendent aux passants de l'eau potable.

comme elle des gens de toutes les origines, de toutes les conditions. De nombreux va-nu-pieds, sans emploi ni domicile fixe, parcourent la ville, cherchant travail et nourriture. Périodiquement, la misère et la détresse provoquent des émeutes accompagnées de pillages et d'incendies. Des bandes armées de bâtons, de lance-pierres, se protégeant derrière des boucliers en feuilles de palmier, affrontent la cavalerie du service d'ordre.

QUI ASSURE L'ORDRE?

Une police: la *chourta*. Ses hommes patrouillent nuit et jour. Ils sont dirigés par un préfet de police qui, à Bagdad, est un personnage important, proche du calife. Ces forces de l'ordre veillent à l'exécution des peines prononcées par le *cadi*, le juge. Elles-mêmes peuvent infliger directement des peines corporelles. Ce pouvoir donne lieu, parfois, à des injustices.

Bazars, souks ! Comment se retrouve-t-on dans les marchés ?

Al Yakoubi, un géographe du 9ᵉ siècle, décrit ainsi le *souk* ou *bazar* de Bagdad : "Un marché considérable, long d'environ douze kilomètres, large de six. Chaque commerce y dispose de ses avenues (...), de sorte que les professions comme les genres ne s'y mélangent pas."

En fait, dans chaque ville, les marchés répondent à un plan très strict. Généralement situé près de la grande mosquée, lieu de réunion, le *souk* n'est pas un endroit de désordre, même s'il regorge de monde et de produits.

À QUOI RESSEMBLENT LES BOUTIQUES ?

De chaque côté des larges rues voûtées, ou plus simplement recouvertes de toits en bois ou de branchages, des boutiques de même dimension se succèdent. Elles ferment à l'aide de deux volets servant d'auvent et de table d'exposition des marchandises.

Les marchés des produits de luxe (bijoux, tissus précieux, etc.) se trouvent dans des bâtiments fermés ou dans des zones bien protégées, près de la mosquée. À l'inverse, fruits et légumes sont placés aux portes de la ville : ainsi, les maraîchers n'encombrent pas tous les jours, avec leurs bêtes chargées, la circulation.

Il existe aussi de petits *souks* dans les quartiers résidentiels. Les habitants peuvent y effectuer leurs achats quotidiens sans avoir besoin d'aller trop loin.

LES MARCHANDISES SONT-ELLES CONTRÔLÉES ?

Les marchés sont organisés par catégories de produits et par corps de métiers ; les clients choisissent donc en comparant et ils bénéficient de la concurrence. Cela permet aussi de faciliter la surveillance et les contrôles exercés par le *muhtasib* et ses agents.

Choisis pour leur honnêteté et leur compétence, ils surveillent le travail des artisans et des commerçants afin d'éviter les fraudes sur la qualité des produits et sur les prix. Ils vérifient l'exactitude des poids, des balances, des mesures, qu'ils estampillent en y apposant une marque, ce qu'ils font aussi sur les objets destinés à l'exportation.

LES FRAUDEURS SONT-ILS PUNIS ?

Le *muhtasib* peut infliger certaines sanctions sans faire appel au juge. Par exemple, il décide de la réprimande, de la fustigation ou bastonnade et de la promenade infamante. Il lui arrive

aussi de confisquer les poids et mesures inexacts, les objets défectueux. Il interdit l'exercice de leur métier aux commerçants et artisans qui commettent une nouvelle infraction après avoir été déjà condamnés.

Qu'est-ce que la promenade infamante ?

Elle consiste à montrer le fraudeur à travers la ville, monté à l'envers sur un âne. L'homme est coiffé d'un grand bonnet coloré muni en son sommet d'un grelot. Un crieur public clame ses délits.

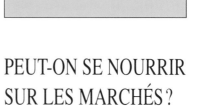

PEUT-ON SE NOURRIR SUR LES MARCHÉS ?

Dans la rue, des marchands vendent des plats tout préparés : beignets d'aubergine ou de fromage, pâtisseries et, dans les villes de l'Occident musulman, des saucisses piquantes appelées *merguez*. Mais des restaurants, des rôtisseries s'installent également dans tous les marchés. Les gargotes servent des soupes épaisses de semoule ou de féculents, enrichies ou non de viande hachée. Les clients y trouvent

Quelle monnaie utilise-t-on?

Les deux principales pièces de monnaie qui circulent sont le dinar, en or, qui pèse 4,25 g, et le dirham, en argent, de 2,95 g environ. Le dirham représente un dixième, un vingtième ou un trentième du dinar, selon les époques. La monnaie est pesée et non comptée.

cuisine comprend des plats de poulet, de pigeonneaux, de perdrix et divers autres gibiers à plumes… Elle utilise beaucoup d'épices, de fines herbes, d'ail et d'oignon.

Fruits et gâteaux sont délicieux. La plupart des pâtisseries sont faites à base de miel, de pâte d'amande, de dattes dénoyautées, de noix et de pignons pilés. Elles sont parfumées à la canelle, à l'eau de fleur d'oranger ou au musc.

aussi du riz et des bouillies de fèves, de lentilles, de pois chiches. Généralement, le pain est à base de froment ; en temps de disette, il est fait d'orge ou de millet.

QUE MANGE-T-ON DANS LES RESTAURANTS ?

Là, les gens des classes aisées commandent surtout de la viande de mouton ou d'agneau. Outre les ragoûts, les fritures de beignets de légumes, les brochettes de boulettes, de hachis, la

Avec le lait, l'eau constitue évidemment la boisson la plus courante. Mais il y a aussi des jus de fruit et différents sirops.

Que trouve-t-on dans les souks ?

Près de la grande mosquée, au cœur de la cité, sous les yeux des passants, les joailliers taillent les pierres précieuses et façonnent des bijoux. À la limite de ce *souk*, de subtiles et agréables odeurs conduisent instinctivement le promeneur vers le marché des parfumeurs.

Là, les marchands proposent des essences de rose, de violette, de citron, de fleur d'oranger, de musc, mais aussi des savons, des crèmes, des pâtes épilatoires et du henné pour teindre les cheveux. Tout proche, le *souk* des tissus offre d'innombrables étoffes rayées, veloutées, garnies de franges…

TOUS LES ARTISANS TRAVAILLENT-ILS DEVANT LES CLIENTS ?

En se dirigeant vers la périphérie, le long de la grande artère commerçante, le spectacle reste extraordinaire. Dans leurs boutiques, les artisans dinandiers, les savetiers, les tailleurs, les

ferronniers, les selliers, les chaudronniers, les bourreliers fabriquent leurs produits sous les yeux des clients. La boutique sert d'atelier, et l'artisan vend à la fois au détail et en gros.

Les marchands de tapis étalent leurs mer-

veilles jusque dans la rue, obligeant tout le monde à les piétiner. C'est leur façon d'accueillir royalement le client.

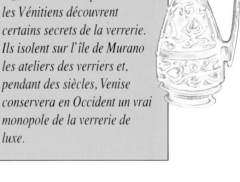

Venise emprunte...

C'est dans le monde musulman que les Vénitiens découvrent certains secrets de la verrerie. Ils isolent sur l'île de Murano les ateliers des verriers et, pendant des siècles, Venise conservera en Occident un vrai monopole de la verrerie de luxe.

QUELS MÉTIERS S'INSTALLENT HORS DES VILLES ?

Poteries, tuileries, briqueteries ont besoin d'eau et de grandes surfaces. Elles installent aux portes des villes, près de la rivière ou d'une source, leurs fours, leurs réserves de combustible et de matières premières. Elles ont aussi besoin d'espace pour le séchage et le stockage de leur production.

Toutes les professions "polluantes", notamment les fours des maîtres verriers et les cuves des tanneurs, se trouvent à l'extérieur de la ville.

LES NOUVELLES TECHNIQUES CIRCULENT-ELLES VITE ?

À travers le vaste empire, hommes, biens et idées sont sans cesse en mouvement. Un procédé de fabrication des armes à base d'acier résistant et souple est mis au point à Damas, en Syrie ; il prend le nom de "damasquinage" et parvient jusqu'en Espagne. De nouvelles techniques pour travailler le cuir naissent au Maroc, donnant la maroquinerie... Celles de Cordoue s'appellent cordouannerie, puis cordonnerie.

Avec les procédés voyagent aussi les styles, les motifs de décoration. Les dorures, les émaux de la céramique et la verrerie gagnent tout l'empire. Les techniques de fabrication des savons et des teintures en font autant.

Les campagnes sont-elles florissantes?

**Le *Livre de l'impôt foncier*
recommande : "Si l'on apprend au
calife qu'il existe dans une région
des terres qui pourraient être cultivées
en les irriguant et que le fait soit
confirmé, tu donneras ordre de creuser
des canaux en faisant payer les frais
par le Trésor, et non par les habitants."**

D'énormes travaux de creusement de canaux
accompagnent la construction des villes nouvelles comme Bagdad, Raqqa et Samarra. Les
pluies sont généralement insuffisantes dans
l'ensemble du monde musulman. Seuls le blé
dur et l'orge poussent facilement ; les autres
cultures demandent de l'eau. Alors canaux,
barrages et digues captent celle des rivières. En
Iran et au Maghreb, les musulmans développent des techniques de canaux souterrains, qui
permettent de limiter l'évaporation.

Les terres cultivées se développent et les ren-
dements s'améliorent. En Égypte, pour un
quintal de blé semé, on en récolte dix ; au même
moment, dans l'empire de Charlemagne, le ren-
dement est de deux ou de deux et demi pour un.

DE NOUVELLES CULTURES
SE RÉPANDENT-ELLES?

Canne à sucre, riz, bananier, aubergine, arti-
chaut, épinard viennent d'Orient et gagnent peu
à peu l'Occident, jusqu'en Sicile et en Espagne.
Coton, chanvre, lin et mûrier, pour le ver à soie,

suivent le même chemin. Presque partout se développent des cultures de plantes pour les teintures et les parfums : indigo, henné, violette, rose, jasmin, narcisse, safran. On leur consacre des jardins et des champs entiers. Il en va de même pour les arbres fruitiers tels que le pêcher, le poirier, le pommier, le grenadier, le citronnier, l'oranger. Le palmier-dattier du Bas-Irak gagne le sud de la Syrie et du Maghreb.

LES TECHNIQUES AGRICOLES S'AMÉLIORENT-ELLES ?

Des spécialistes étudient et travaillent à la sélection et à l'amélioration des plantes et des animaux. Ils mettent au point des méthodes de greffe pour obtenir de nouveaux fruits, de nouvelles fleurs. Ainsi, la même treille donne des raisins blancs et des raisins noirs ; un arbre porte deux fruits différents et une rose présente des pétales rouges et des pétales blancs.

Des techniciens perfectionnent des machines pour élever l'eau, notamment les roues à godets appelées *naoura*, ou norias. Les agriculteurs enrichissent les sols avec des engrais. Ils savent aérer la terre grâce au binage.

Le traîneau à rouleaux

Il sert à dépiquer le blé, c'est-à-dire à dégarnir de leurs grains les épis. Doté de cylindres en bois avec des disques en fer, tiré par une paire de bœufs, il passe et repasse sur l'aire de battage.

Des croisements entre des béliers du Maghreb et des brebis d'Espagne donnent naissance au mouton mérinos, dont la laine est très appréciée. Les éleveurs de chevaux sont des maîtres. Le barbe d'Afrique du Nord sert à des croisements dont descendent aujourd'hui la plupart des chevaux d'Europe occidentale.

Pressoirs

Les meules de pierre qui écrasent les olives et les tiges des cannes à sucre sont actionnées par l'eau, par des animaux ou par des hommes.

Quels animaux trouve-t-on dans le monde musulman?

Dans le *Livre des animaux*, qui date du 9ᵉ siècle, l'auteur passe en revue la faune du Moyen-Orient, évoquant quelque 350 animaux. Et une centaine d'ouvrages sont consacrés au seul cheval. Ils décrivent les différentes races, leurs qualités, leur robe, traitent de l'élevage, de l'entraînement, du dressage…

Parmi les animaux très utiles, de bât et de selle, dromadaires et chameaux tiennent une place importante, mais ils ne doivent pas nous faire oublier les ânes et les mulets. On élève aussi des bœufs, des buffles, des moutons, des chèvres et beaucoup de pigeons, dont l'engrais est très apprécié. Les pigeonniers, hautes tours massives en briques, jalonnent les campagnes de tout le monde musulman.

LA CHASSE EST-ELLE TRÈS PRATIQUÉE?

Pour le plaisir et pour se nourrir, les chasseurs traquent perdrix, faisans, poules d'eau, canards sauvages, lièvres, lapins. Ils utilisent des faucons et des éperviers; de nombreux livres indiquent comment élever et dresser ces oiseaux.

Pour leurs somptueuses chasses à courre, les souverains disposent également de lévriers et

de guépards. Ils aiment montrer leur courage et leur adresse en se lançant à la poursuite d'un fauve ou d'un sanglier.

Les cavaliers montent des chevaux spécialement dressés et, après avoir épuisé la bête sauvage, ils l'attaquent à coups de lance, d'épée, ou avec des flèches. Les animaux non féroces, comme le daim, sont capturés au lasso.

LES ANIMAUX SONT-ILS BIEN TRAITÉS ?

Le *muhtasib*, chargé de la police des mœurs dans la ville, sanctionne ceux qui surchargent ou maltraitent leurs bêtes. Il interdit aussi les combats de béliers et de coqs.

Y A-T-IL DES JARDINS ZOOLOGIQUES ?

Quand des animaux sauvages sont capturés, ils viennent enrichir la ménagerie du palais. À Samarra, en Irak, le parc zoologique s'étend sur 50 km². Là, comme dans celui du Caire, vivent, séparés par des canaux et des grilles, des lions, des éléphants, des gazelles, des girafes, des singes, des perroquets et bien d'autres animaux encore. Certains jours et lors de grandes occasions, ces jardins zoologiques sont ouverts au public.

Mais les chasseurs ne s'attaquent pas seulement aux bêtes nuisibles et aux fauves. Ils tuent beaucoup d'animaux pour leur fourrure, leur peau, leurs plumes ou leur ivoire.

Pêche-t-on ?

Oui, beaucoup. Les pêcheurs utilisent des filets munis de flotteurs en liège. Ils attrapent différentes espèces de poissons, notamment des sardines et des thons en Méditerranée.

La richesse profite-t-elle à tous ?

"L'agriculture, dit un calife
du 9ᵉ siècle, présente de nombreux
avantages : en premier lieu, c'est elle
qui féconde la terre, mère nourricière
du genre humain ; c'est elle qui permet
le prélèvement de l'impôt foncier ;
elle développe la richesse publique…
elle augmente les sources
du commerce et accroît
le bien-être."

Le travail de la terre est, à cette époque, la première source de la richesse. Plus de 80 % de la population du monde musulman habitent la campagne et en vivent. Les paysans ne sont pas des serfs, attachés à une terre comme en Occident. Ils sont libres, car l'*Oumma*, la communauté des croyants, est composée d'êtres égaux. À l'exception de la famille du Prophète, il n'existe pas de noblesse.

Peu à peu, à côté des immenses propriétés du calife et de sa famille, se développent de grands domaines. Ils appartiennent aux dignitaires, aux officiers supérieurs de l'armée. Ceux-ci confient la gestion de leurs terres à un intendant, le *wakil*.

TOUS LES PAYSANS
SONT-ILS HEUREUX ?

Dans la réalité, l'argent crée une vraie hiérarchie. La plupart des paysans peinent pour payer des impôts de plus en plus lourds. Certains n'en peuvent plus et s'enfuient pour se réfugier en ville. L'État confisque alors leurs biens. D'autres empruntent et finissent par se ruiner.

table. Ainsi, un repas pour trois personnes, offert par un chanteur célèbre, ne compte pas moins de trente volailles cuisinées de diverses façons en plus des autres plats et des desserts !

QUI VIT DANS LE LUXE ?

Le calife et sa cour, bien sûr, mais aussi les hauts fonctionnaires, les responsables de l'armée, les grands marchands et propriétaires, les entrepreneurs… Ils disposent de superbes demeures comprenant des dizaines de pièces, des cours, de très beaux jardins. Ils entretiennent une foule de domestiques. Imitant les princes, ils édifient des mosquées, des fontaines publiques, des caravansérails. Ils donnent de l'argent à des institutions charitables. Ils s'entourent même d'une cour en accueillant chez eux des poètes, des musiciens, des chanteuses, des écrivains.

Leurs femmes se couvrent de bijoux, portent des vêtements taillés dans des tissus colorés ou en soie, parfois même brodés d'or. L'hiver, elles mettent des fourrures.

Cet étalage de luxe se manifeste aussi à

LES ARTISTES SONT-ILS DES PRIVILÉGIÉS ?

Ziryâb, un musicien et chanteur de Bagdad, s'installe à Cordoue en 822. L'émir lui offre un riche domaine agricole et lui verse une pension mensuelle très importante. Sa fortune atteint

30 000 pièces d'or. Il se déplace avec un cortège d'amis à cheval, tous somptueusement vêtus.

Cet artiste à la pointe de l'élégance lance des modes nouvelles chez les Andalous. Il suggère de s'habiller différemment selon les saisons : le blanc en été, des pelisses et manteaux de fourrure en hiver, des robes de soie et des tuniques de couleurs vives au printemps…

Ziryâb apprend aussi aux Cordouans l'art de la table. Il remplace les gobelets d'or et d'argent par des verres et ne sert plus les plats dans n'importe quel ordre. Pour lui, un repas commence par le potage, se poursuit avec des viandes et des volailles, s'achève par des mets sucrés et des gâteaux.

Enfin, il crée un conservatoire de musique, et un institut de beauté où l'on enseigne comment se farder, se coiffer, s'épiler, utiliser les pâtes dentifrices.

Y A-T-IL DES GENS MISÉRABLES ?

Dans les rues grouillantes des villes se côtoient des gens de toutes les régions, de toutes les ethnies, de toutes les conditions. La richesse et la misère y voisinent. Une foule de pauvres, de portefaix, d'hommes à tout faire s'ajoute aux nombreux mendiants, faux malades et infirmes qui interpellent les passants. Après avoir erré dans la ville toute la journée, beaucoup passent la nuit dans les cours des mosquées.

Périodiquement, des émeutes éclatent : on pille, on brûle. Elles sont causées par les disettes, les inondations, les mouvements politiques ou religieux.

Le papier est-il une invention arabe?

Le papier est une invention chinoise. Des prisonniers de guerre en révèlent les secrets de fabrication aux Arabes au 8ᵉ siècle. La première manufacture de papier du monde musulman est créée à Samarcande. D'autres s'ouvrent bientôt à Bagdad, au Yémen, en Syrie, en Égypte, en Espagne, en Sicile...

La multiplication des fabriques à travers le monde musulman entraîne un grand développement de la "paperasserie" administrative. Mais elle favorise aussi la diffusion, la démocratisation du livre, du savoir, de la culture.

Pour fabriquer du papier, il faut alors des chiffons de lin, de chanvre ou de coton, que l'on plonge dans des bacs remplis d'eau. Des maillets, actionnés par une roue à eau, les broient, les transformant en pâte à papier, une substance fibreuse et laiteuse. Les feuilles sont obtenues en plaçant cette matière dans un cadre en bois muni d'un tamis. Plus tard, ce procédé sera transmis à l'Europe par les Arabes.

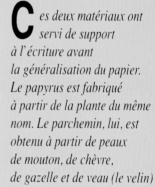

Papyrus et parchemin

Ces deux matériaux ont servi de support à l'écriture avant la généralisation du papier. Le papyrus est fabriqué à partir de la plante du même nom. Le parchemin, lui, est obtenu à partir de peaux de mouton, de chèvre, de gazelle et de veau (le velin)

Enluminures

Les manuscrits de qualité
sont enrichis
d'enluminures, motifs
décoratifs faits d'arabesques
et d'entrelacs géométriques.
Les arabesques s'inspirent de
thèmes floraux stylisés. Le tout
est orné d'or ou d'argent.

OÙ TROUVE-T-ON DES LIVRES ?

Toutes les grandes villes possèdent leurs quartiers des libraires. L'origine sociale de la clientèle en est très diverse. Le nombre de livres proposés est impressionnant. Le métier de libraire rapporte beaucoup d'argent, car dans les villes la plupart des gens savent lire et écrire.

Chaque libraire recopie à la main les manuscrits qu'il vend. Il emploie aussi des copistes, hommes et femmes ; ce sont parfois des écrivains qui font ce travail pour gagner leur vie.

Leur salaire dépend de leur niveau intellectuel, de la qualité des lettres qu'ils tracent et de leur application. Plus le livre est bien écrit, plus il est cher.

Des spécialistes parcourent le monde à la recherche de nouveaux titres à publier. Certains "chassent" les manuscrits rares pour les collectionneurs. Les œuvres rares, luxueuses, se vendent aux enchères publiques et peuvent atteindre des prix exorbitants.

EXISTE-T-IL DE GRANDES BIBLIOTHÈQUES ?

Princes et riches particuliers possèdent leur propre bibliothèque. Chaque ville a une ou plusieurs bibliothèques publiques. Dans le vieux

علىيـاكـاللـينـاتيـاتيعـاللـسـمرثـيـا

صدق الله العظيم ويلغ رسولة الكرم

Caire, celle du grand palais contient un million six cent mille ouvrages. Elle comprend quarante salles et tout le monde peut y venir. Les uns consultent les livres sur place, d'autres les empruntent. Dans ce cas, il suffit de donner son nom et son adresse. Quant à ceux qui veulent prendre des copies d'un texte, ils trouvent sur place l'encre, le papier et les plumes.

Dans certaines bibliothèques, les livres sont rangés dans des placards qui font le tour de la salle et sont fermés à l'aide de serrures et de verrous. La liste des ouvrages qu'ils contiennent est affichée sur chaque porte. Dans d'autres, les ouvrages sont posés dans des casiers empilés. Le public consulte les catalogues et s'adresse aux bibliothécaires. Il y a souvent plusieurs exemplaires du même manuscrit.

TOUS LES LIVRES SONT-ILS AUTORISÉS ?

À partir du 10e siècle, l'esprit de liberté et de tolérance qui caractérisait le monde musulman se dégrade. Sous la pression de mouvements religieux fanatiques, un dictateur "purge" la bibliothèque du palais de Cordoue : il fait détruire et brûler la plupart des ouvrages de cette institution unique en Europe. Des troubles entraînent des incendies et des pillages dans les palais et les maisons des notables.

L'art de la calligraphie

Avec leur plume de roseau ou de bambou, taillée en pointe ou en biseau, des copistes deviennent de grands calligraphes, des maîtres de la belle écriture. Ils en utilisent deux formes: la coufique, anguleuse, dite archaïque, et surtout la cursive, plus arrondie.

Lorsqu'ils prennent Bagdad en 1258, les Mongols assassinent des milliers de savants. Ils jettent dans le fleuve des bibliothèques entières et brûlent tous les livres qu'ils trouvent.

Braves étudiants !

En 1116, un incendie détruit la grande université de Bagdad. Grâce à la bravoure de ses étudiants, et à leur intervention, les ouvrages de la bibliothèque ont pu être sauvés.

L'enseignement est-il ouvert à tous?

"Cherchez la science, dûssiez-vous pour cela aller jusqu'en Chine."
Cette recommandation du prophète Mohammed indique l'effort, le sacrifice demandé à chaque musulman pour sortir de l'ignorance.

QU'APPREND-ON À L'ÉCOLE?

Là où s'installe une mosquée, s'ouvrent autour des écoles primaires; il en existe pour les filles. Les enfants y apprennent l'écriture, le Coran, la grammaire, l'histoire, le calcul. Assis sur des nattes ou des tapis, ils répètent à haute voix le texte écrit sur leur tablette : ils doivent le connaître par cœur. La discipline est stricte. Lorsqu'un élève sait les soixante chapitres du Coran, sa famille offre à tous un grand repas, avec des gâteaux, et fait des cadeaux au maître.

OÙ SUIT-ON DES ÉTUDES SUPÉRIEURES?

Jusqu'au 11e siècle, l'enseignement supérieur est dispensé par des savants, des maîtres, dans les mosquées et des cercles privés. Il peut durer dix, quinze ou vingt ans. Au cours de cette formation permanente, les étudiants vont de maître en maître, de ville en ville. De grandes universités attachées à des mosquées naissent alors au Caire, à Tunis, à Fès.

Au 11ᵉ siècle, la première *madrasa*, ou collège-université, est fondée. Un siècle plus tard, Bagdad en compte trente-cinq. Les professeurs et les étudiants venus de loin y sont logés. Des bourses sont attribuées aux meilleurs d'entre eux et aux plus pauvres. À la tête de l'établissement se trouve un directeur. Les autres fonctionnaires sont les professeurs, les répétiteurs, les comptables, les bibliothécaires. Un *imam* est désigné pour diriger la prière.

Le professeur donne son cours à partir d'une chaire autour de laquelle les étudiants sont assis sur des chaises ou des bancs. Ils peuvent ensuite poser des questions oralement ou par écrit.

Les maîtres renommés attirent un grand nombre d'auditeurs.

OBTIENT-ON DES DIPLÔMES ?

Lorsqu'un professeur juge l'élève-disciple capable d'enseigner ou de pratiquer à son tour la discipline qu'il lui a enseignée, il lui délivre une *ijâza*, un diplôme. Certains en cumulent plusieurs, obtenus en Orient et en Occident. À Bagdad, il faut une *ijâza* pour exercer la profession de médecin.

Une tenue spéciale

Les professeurs d'université sont nommés par ordonnance. Ils reçoivent du calife une tenue composée d'un châle bleu marine et d'une tunique noire.

Les sciences progressent-elles vraiment?

"L'encre du savant est plus sacrée que le sang du martyr.", a dit Mohammed. Dès le 8ᵉ siècle, des missions rapportent de l'étranger des manuscrits. Des textes grecs, persans, indiens, chinois sont traduits et regroupés dans les "Maisons de la Sagesse" et les "Maisons de la Science".

Là, des savants, des chercheurs de tout l'empire élaborent un nouveau savoir. Transmis plus tard à l'Occident, ce véritable trésor culturel sera l'une des bases des progrès scientifiques du monde moderne.

EXISTE-T-IL DES OBSERVATOIRES D'ASTRONOMIE?

Au 9ᵉ siècle, les astronomes disposent d'observatoires à Bagdad et à Damas. L'étude des astres contribue notamment à déterminer la direction de La Mecque, les heures des prières, la durée exacte du mois de Ramadan… En perfectionnant l'astrolabe, un instrument portatif qui permet en particulier de déterminer la hauteur des astres, ils aident les caravaniers et les marins à déterminer l'endroit où ils se trouvent. Bientôt, d'ailleurs, les marins arabes rapportent de Chine la technique de l'aiguille aimantée, la boussole.

Grâce aux progrès des mathématiques, les astronomes calculent aussi la longueur du méridien. Al Birouni donne, vers l'an mille, celle du rayon de la Terre, à 15 kilomètres près. Il émet aussi l'idée que notre planète tourne autour du Soleil.

Montre portative

U*n cadran solaire pouvant tenir dans la paume d'une main sert de montre pour connaître les heures des cinq prières quotidiennes sous une latitude donnée. C'est une petite plaque rectangulaire en cuivre gravé.*

LES INGÉNIEURS SONT-ILS INVENTIFS ?

Un livre écrit en 860 ne compte pas moins de cent inventions : appareils pour l'eau chaude et froide, jouets mécaniques, monte-charges, etc.

Les ingénieurs construisent d'innombrables moulins à eau le long des fleuves et des moulins à vent.

Ils fabriquent des horloges à eau, des appareils médicaux, de multiples automates. Parmi eux, on connaît par exemple un lavabo étonnant, muni d'une figurine ; celle-ci verse l'eau d'une aiguière puis tend une serviette et un peigne à l'usager.

Un grand inventeur andalou met au point le procédé de la fabrication du cristal. Il réalise une voûte céleste où apparaissent des nuages, des éclairs et où résonne, parfois, le tonnerre. Voulant s'envoler, il se confectionne, avec de la soie et des plumes, un fourreau doté d'ailes mobiles. Un jour, il se lance dans le vide du haut d'un rocher et... parvient à planer quelques minutes.

Il atterrit sain et sauf !

NOS CHIFFRES SONT-ILS VRAIMENT ARABES ?

Il faut s'amuser à faire une opération avec les chiffres romains pour se rendre compte de la difficulté ! Vers 772, à Bagdad, on commence à utiliser les chiffres indiens. Cinq siècles plus tard, l'Europe les adopte et les appelle chiffres arabes. En fait, les Arabes ont inventé le zéro, qui permet d'écrire n'importe quel nombre. Appelé *sifr*, il nous a donné le mot chiffre.

Pourquoi la médecine arabe est-elle si réputée?

"On doit aux médecins arabes des descriptions cliniques nouvelles et précises, dans le cadre d'une organisation libérale et laïque qui annonce celle des universités européennes."

Les savants du monde musulman effectuent d'importantes observations. Ainsi, Abou Bakr al Râzi (Razès) rédige une énorme encyclopédie médicale. Il y étudie des infections comme la rougeole, la variole... Il s'intéresse aux affections des enfants, à l'influence de la psychologie sur l'état des malades.

CONNAÎT-ON D'AUTRES GRANDS MÉDECINS?

L'Espagnol musulman Abou l'Qâsim (Abulcasis) résume dans le trentième volume de son œuvre, *l'Art de guérir les blessures*, les connaissances de l'époque en chirurgie. Il y dessine plus de 200 instruments chirurgicaux, indique les cas où doit être utilisé le bistouri, conseille, entre autres, l'usage de dents artificielles en os...

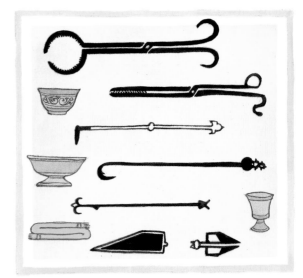

Ibn Sinâ (Avicenne) est précoce! À 14 ans, ses connaissances dépassent celles de ses maîtres. À 17 ans, il est appelé pour soigner le souverain et le guérit. Ses écrits, traduits en latin, en font, du 12e au 17e siècle, un grand maître de la médecine en Europe.

Y A-T-IL DES HÔPITAUX ?

Chaque grande ville a au moins un hôpital. Au début du 10ᵉ siècle, Bagdad en compte cinq. Installés dans des palais, ils sont très modernes pour l'époque. Les chambres sont dotées de lits confortables. Des zones sont réservées aux malades contagieux, d'autres aux opérés. Lorsque la ville ne possède pas d'hôpital réservé aux femmes, celles-ci ont leur secteur séparé ; tout le personnel y est féminin.

À chaque hôpital sont rattachés une école de médecine, une bibliothèque, un dispensaire, une mosquée et des bains. L'administration consigne dans des registres l'identité des malades, les soins donnés, la nourriture consommée, et établit le prix de revient de l'ensemble. Mais tous les services sont gratuits.

QUELS SONT LES PRINCIPAUX MÉDICAMENTS ?

Le développement de la médecine entraîne celui de la pharmacie. L'ouvrage d'un botaniste-pharmacien rassemble, par ordre alphabétique,

Hygiène publique

D ans les boulangeries, une affiche précise les instructions d'hygiène. Il y est dit, par exemple, que tout sac vide doit être nettoyé.

1 400 médicaments formés d'une seule substance et appelés simples : ils proviennent de plantes, de minéraux ou d'animaux. Un traité encyclopédique de médecine signale, lui, près de 760 drogues.

Les premières officines s'ouvrent après la création d'une école de pharmacie. Les apothicaires préparent eux-mêmes les potions à vendre. Outre de nombreux appareils, des savants mettent au point l'*al anbik* (l'alambic), qui sert à la distillation ; ils découvrent des acides et l'*al kohol* (l'alcool). Leurs recherches contribuent à jeter les bases de la chimie.

À Paris

S aviez-vous que les portraits de Razès et d'Avicenne figurent sur la façade de la Faculté de médecine de Paris ?

Quelques dates essentielles

Vers 570   Naissance de Mohammed.

Vers 612   Mohammed commence à prêcher la Parole de Dieu, le Coran.

622   L'hégire (*al Hijra*), ou départ de Mohammed de La Mecque vers Yathrib qui devient Médine. Il y fonde le premier État arabo-musulman.

632   Le 8 juin, mort de Mohammed à Médine.

Les quatre premiers califes (632-661)

632-634   Califat d'Abou Bakr.

634-644   Califat d'Omar. Les Arabes occupent la Syrie, la Palestine, la Mésopotamie (Irak), l'Arménie, la Perse, l'Égypte et la Cyrénaïque (Libye). Ils créent les villes de Bassorah, Ḳoufa, Fostât.

644-656   Califat d'Othman. Le texte officiel du Coran est établi.

656-661   Califat d'Alî. Naissance des sectes musulmanes chiite et khârijite.

Dynastie des Omeyyades (661-750)

661-680   Moâwiya Ier désigne son fils comme successeur, instaurant la première dynastie arabo-musulmane. Damas, en Syrie, en est la capitale.

670   Fondation de Kairouan en Tunisie.

687-691   Construction de la mosquée d'Omar à Jérusalem.

710   Construction des grandes mosquées de Damas, Médine, Fostât, Alep, Jérusalem.

711   Conquête de l'Espagne et du Sind, région de l'Indus.

732 (ou 733)   Arabes et Francs à la bataille de Poitiers.

740   Les musulmans parviennent sur la côte orientale de l'Afrique.

Dynastie des Abbassides (750-1258)

750-754   Al-Saffâh, premier calife abbasside, s'installe à Koufa.

751   Les musulmans battent les Chinois sur la rivière Talas.

756   Fondation de l'émirat omeyyade d'Espagne.

762   Fondation de Bagdad, qui devient la capitale des Abbassides.

786-809   Règne de Hâroun al Rachîd.

800   Charlemagne est couronné empereur.
Installation d'une fabrique de papier à Bagdad.
Des marchands arabes s'installent en Chine, à Canton.

831   Les Arabes en Sicile et en Italie du Sud.

836   Fondation de Samarra.

909   Fondation à Kairouan, en Tunisie, de la dynastie des Fatimides, descendants d'Alî et de Fatima. Elle règnera jusqu'en 1171.

969   Le Caire, en Égypte, devient la capitale des califes fatimides.

1031   Fin des Omeyyades d'Espagne.

1050   Arrivée au Maghreb des tribus nomades des Banou-Hilâl.

1055   Arrivée à Bagdad des Seljoukides, tribus nomades turques.

1056-1147   Dynastie Almoravide au Maghreb.

1060   Les Normands s'emparent de la Sicile musulmane.

1099   Les croisés à Jérusalem.

1130-1269   Les Almohades succèdent aux Almoravides.

1236   Prise de Cordoue par les chrétiens d'Espagne.

1258   Prise de Bagdad par les Mongols. Fin de la dynastie des Abbassides.

OCÉAN ATLANTIQUE

ESPAGNE

Cordoue
Grenade

MER MÉDITERRANÉE

Fès

Tlemcen

Kairouan

MAGHREB

AFRIQUE

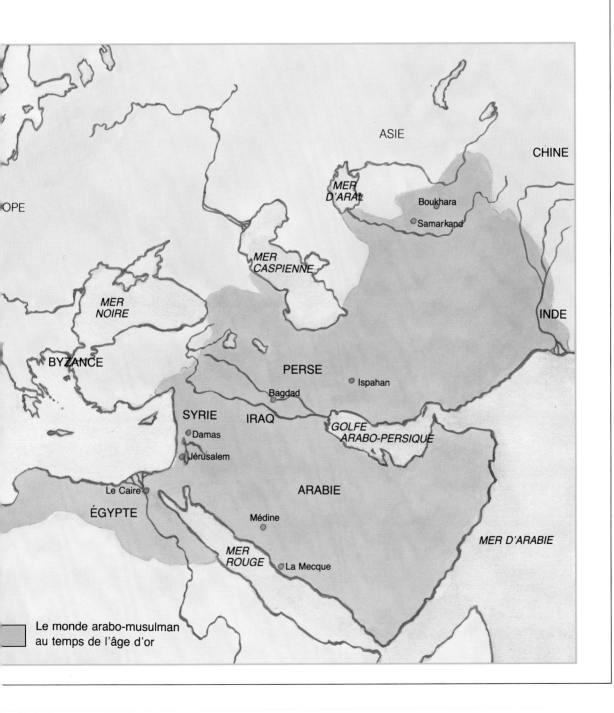

Le monde arabo-musulman
au temps de l'âge d'or

Et si nous interrogions les Arabes au temps des grands califes ?

60

Conception graphique et composition : Rampazzo et Associés
Direction artistique et réalisation : Nathan
Nº d'éditeur : 1 000 1208
Dépôt légal : Septembre 1991
Loi du 16 juillet
Imprimerie Jean-Lamour, 54320 Maxéville - 91-07-00-86
ISBN 2-09-240171-8